Princesse Zélina

Le rosier magique

Bruno Muscat

Tout petit, il adorait se déguiser en chevalier et sauver les princesses avec son épée en plastique. Trente ans plus tard, Bruno Muscat est journaliste à *Astrapi*. Raconter des histoires est devenu son métier et les châteaux forts le font toujours autant rêver.

Édith

Édith est illustratrice. Elle est connue depuis 1990, quand elle a publié la série *Basile et Victoria*, qui a reçu l'Alph-Art, un des plus prestigieux prix de bande dessinée français. Elle travaille aussi beaucoup avec les éditeurs jeunesse tant sur des albums que des livres de fiction.

BRUNO MUSCAT . ÉDITH

Princesse Zélina

Le rosier magique

bayard poche

Prologue

*L*a princesse Zélina est l'héritière du royaume de Noordévie.

Mais la reine Mandragone, sa belle-mère, a conçu un terrible complot pour l'empêcher de monter sur le trône. Elle est prête à tout pour y installer son idiot de fils, le prince Marcel.

Heureusement, les intrigues de la reine ont jusqu'ici échoué grâce à l'intervention d'un mystérieux inconnu, nommé Malik…

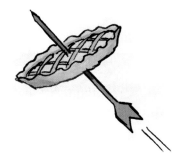

1
Respect pour les tartes !

$\mathcal{E}$nrico Madrigal, le professeur de bonnes manières, soupira, levant les yeux vers les grands lustres de cristal de la salle de bal : Zélina et Ambre ne semblaient plus très concentrées, et il se dit qu'il était temps de libérer les deux jeunes filles.

– Le cours est terminé ! déclara-t-il. Mademoiselle Ambre, je vous demande de faire un peu répéter ses révérences à Sa Majesté pour demain.

La princesse regarda sa demoiselle de compagnie et pouffa. Par ce beau temps, elles avaient bien autre chose en tête que réviser les bons usages…

Les deux demoiselles saluèrent monsieur Madrigal, et Zélina entraîna Ambre dans le jardin.

Le soleil brillait dans le ciel et les lingères du château étendaient leurs draps sur les pelouses en riant.

– Si nous allions jouer à cache-cache avec elles ? proposa Zélina.

Ambre plissa le nez :

– Ça ne serait pas convenable, princesse !

– Oh, flûte… Tu n'es vraiment pas drôle…

À ce moment, leur attention fut attirée par des éclats de voix et des rires de l'autre côté de la haie. Zélina se haussa sur la pointe des pieds. Au-dessus des feuillages, elle vit son beau-frère, le prince Marcel, et deux de ses amis.

Ces trois idiots n'avaient rien trouvé de mieux que de jouer au tir au pigeon avec les tartes aux pommes amoureusement préparées par Gâte-Sauce, le marmiton du palais.

Ce manque de respect pour le travail du pauvre cuisinier scandalisa Zélina, qui décida de ne pas laisser faire l'insolent Marcel.

Zélina n'était pas la seule à être consternée par ce pitoyable spectacle. Depuis l'une des fenêtres du château, Belzékor le démon assistait lui aussi à ce gaspillage révoltant. Quelle torture pour le très gourmand mauvais génie de la reine Mandragone! Ah, si Marcel n'avait pas été le fils chéri de sa maîtresse, il l'aurait transformé en porcelet depuis longtemps déjà…

– Vas-y, Burt, lance! cria Marcel.

La belle tarte dorée s'éleva dans le ciel, mais la flèche de Marcel la rata d'un bon mètre. Le démon se redressa. Bizarrement, la tarte ne retomba pas sur le sol; happée par un providentiel coup de vent, elle alla se perdre dans l'abondante vigne vierge qui avait envahi la terrasse et les flancs du vieux donjon abandonné.

Zélina se planta devant Marcel, les poings serrés :

– Tu devrais avoir honte!

Respect pour les tartes !

Le prince la toisa avec mépris tout en bandant son arc pour tirer une nouvelle flèche :

— Écoute, fillette… Laisse jouer les grands, veux-tu ?

— Est-ce ainsi que se conduisent les gentils-hommes ? Toi et tes amis, vous n'êtes que des… que des nuls !

Marcel ricana :

— Gna, gna, gna… Et elle va le dire à son papa, c'est ça ?

Excédée, Zélina lui tira la langue. Le prince, oubliant qu'il tenait son arc armé, voulut lever la main sur la jeune fille… La flèche partit et se ficha dans sa botte. Marcel hurla de douleur. Décidément, il était trop bête ! Zélina éclata de rire et courut rejoindre Ambre.

Pendant ce temps, Belzékor salivait. Il n'allait tout de même pas abandonner cette succulente tarte à son triste sort. Le démon se métamorphosa en un corbeau, qui s'envola jusqu'à la terrasse du donjon. La tarte était là, aux trois quarts enfouie dans la vigne vierge. Alors qu'il écartait les feuilles pour s'en emparer, Belzékor fut aveuglé par un reflet éblouissant.

Sous la végétation, il aperçut un petit rosier qui portait une sublime et unique fleur d'or. Sur le socle de la vasque de cristal qui contenait le rosier, il y avait une plaque. Belzékor se pencha pour la lire. Il y était gravé :

« Ce rosier magique protège les êtres chers à celui qui le possède.

Mais malheur à qui brisera sa fleur, car il se fanera comme elle ! »

Le démon se gratta le bec avec son aile, songeur. Voilà qui devrait intéresser la reine Mandragone…

2

La malédiction de la rose d'or

*M*andragone prenait le thé avec la duchesse de Portefigues et la vicomtesse d'Agaric lorsqu'elle sentit quelque chose tirer le bas de sa robe.

– Qu'est-ce que vous voulez? fit-elle avec agacement en découvrant Belzékor, à ses pieds, aplati sous sa chaise.

– Il faut que je vous parle…

La reine essaya de repousser le démon avec le bout de sa chaussure, mais celui-ci s'accrochait.

– Madame, c'est important!

Mandragone se leva donc et s'excusa auprès de ses invitées. Puis se dirigea vers ses appartements. Belzékor rafla une poignée de biscuits sur la table et la suivit en se dandinant sous le regard dégoûté de la duchesse et de la vicomtesse.

La reine referma les deux portes de son boudoir derrière son inquiétant conseiller. Elle plongea ses yeux de glace dans ceux du démon:

– Eh bien… parlez! Je n'ai pas que ça à faire.

Belzékor ne répondit pas tout de suite. Il détestait qu'on s'adresse à lui sur ce ton. Après tout, même un petit démon comme lui avait le droit d'être traité avec quelques égards! Il s'installa confortablement sur le sofa pour terminer ses biscuits. La réaction de Mandragone ne se fit pas attendre: sa main s'abattit sèchement sur le crâne cornu de Belzékor pour le rappeler à l'ordre.

Le nabot avala en catastrophe le biscuit qu'il venait de fourrer dans sa bouche et entreprit de raconter sa découverte:

– Je réfléchissais dans le vieux donjon sur un plan infaillible pour vous débarrasser définitivement de la princesse Zélina lorsque mon œil a été attiré par quelque chose caché sous la vigne vierge. C'était un petit rosier planté dans une vasque de cristal…

Le démon se tut, savourant cet instant unique : la reine, captivée, était littéralement suspendue à ses lèvres. La maléfique créature engloutit un biscuit, essuya les miettes qui parsemaient sa barbe et reprit son récit sans se presser.

– Quelle n'a pas été ma surprise lorsque j'ai découvert que ce rosier portait une seule rose, une rose d'or dont les pétales brillaient sous le soleil !

Belzékor parla ensuite de la plaque et de son étrange inscription. Lorsqu'il eut terminé, un inquiétant sourire se dessina sur le visage de Mandragone :

– Mon petit Belzékor, est-ce que vous savez d'où vient ce rosier ?

Le démon secoua la tête.

– Eh bien, c'est une longue histoire, souffla Mandragone...

La reine se mit à raconter, prise d'une sorte de transe :

– Ce rosier appartenait à la reine Mathilde, la première femme d'Igor, la mère de cette peste

de Zélina! C'était une stupide idéaliste, qui aimait profondément son mari et son pays… Lorsque Mathilde a épousé le roi, la reine des fées lui a offert ce rosier magique, une sorte de talisman qui devait protéger tous les êtres chers à la jeune reine. Mais le soir des noces, la plante a mystérieusement disparu! Personne ne savait qui l'avait dérobée. Nombreux ont été ceux qui se sont lancés à sa recherche; mais nul n'est parvenu à la retrouver.

Depuis ce jour, Mathilde n'a plus jamais parlé de son cadeau perdu. Après sa mort, j'ai épousé Igor, et tout le monde a oublié ce rosier…

Belzékor bâilla. Cette histoire était, certes, passionnante, mais il commençait à avoir un peu faim.

— Ainsi, cette petite futée avait tout simplement caché son joli cadeau et sa fragile fleur pour les protéger. Et vous, mon génial petit diablotin, vous me l'avez retrouvé! s'écria Mandragone en prenant le démon dans ses bras et en le serrant sur son cœur.

Belzékor grimaça ; il se méfiait des démonstrations d'affection de la reine. Il savait qu'elles signifiaient souvent la fin de sa tranquillité. Mandragone réfléchit. Elle reposa Belzékor et lui fit répéter l'inscription qu'il avait lue au pied de la vasque. Le démon vit que la reine bouillonnait intérieurement. Et si Zélina brisait la rose ? La princesse se condamnerait elle-même, et le chemin du trône serait dégagé pour le fils chéri de Mandragone. La cruelle souveraine eut un rictus terrible :

– Ha ha ha ! Mon cher Belzékor, à vous de jouer, je vous fais confiance !

3
Le jour des papillons

Le lendemain, merveille des merveilles, les papillons avaient envahi le ciel d'Obéron.

En ce beau jour de printemps, leurs petites ailes chatoyantes éclaboussaient de taches de couleur les jardins de la capitale. C'était une chose charmante que de voir les Obéronais de tout âge, de tout sexe et de toute condition courir sous le soleil en essayant de les attraper...

Oubliant toute prudence, le prince Malik de

Loftburg se lança lui aussi à la poursuite des beaux lépidoptères. Le jeune étudiant en sciences naturelles était un passionné de papillons, et il consacrait de longues heures à leur étude. Aussi se glissait-il maintenant, le filet à la main, dans les hautes herbes qui tapissaient le pied des murailles du château royal. Pourtant, personne ne devait se douter qu'il était le fils du roi de Loftburg, l'ennemi juré du roi Igor! Mais sa passion était plus forte que sa raison: ici, il débusquerait certainement d'intéressants spécimens, et puis – qui sait ? – il apercevrait peut-être aussi la ravissante princesse Zélina…

Perché sur une gargouille, Belzékor regardait d'un air distrait Ambre et Zélina jouer du filet dans le jardin du palais. Portant des robes de popeline légère et coiffées de chapeaux de paille, les deux jeunes filles s'amusaient comme des folles. C'était à celle qui attraperait le plus joli papillon. Ambre captura un magnifique sphinx

jaune et noir et se précipita vers sa princesse :

– Regardez, c'est moi qui ai le plus beau !

Zélina fit une moue de jalousie et se remit en chasse. Une idée diabolique germa alors dans l'esprit de Belzékor. Sans hésiter, le démon se transforma en un splendide papillon, grand comme la main. Avec ses ailes de satin pourpre tirant sur le jais, ses deux longues queues de paon et ses zébrures d'argent, c'était le plus magnifique spécimen que l'on pût imaginer. Posé gracieusement au milieu des bégonias, ce chef-d'œuvre de la nature attira aussitôt l'attention de Zélina.

La princesse se tapit derrière un buisson, puis lança son filet :

– Zut, raté…

Piquée au vif, Zélina ne s'avoua pas vaincue. Elle suivit son beau papillon parmi les plates-bandes. Mais celui-ci se dérobait à chaque coup de filet.

– Tu ne m'échapperas pas longtemps ! tempêta la princesse.

Imperceptiblement, Belzékor se rapprocha du donjon. Après avoir virevolté devant la porte vermoulue, il se faufila entre deux planches disjointes. Zélina hésita. Elle savait bien que le roi Igor, son père, lui avait interdit de pénétrer dans la tour abandonnée. Mais ce papillon était si beau… La princesse regarda rapidement à droite et à gauche et poussa la porte. L'insecte était là, posé sur la rampe de l'escalier. Il semblait l'attendre. Elle courut vers lui ; Belzékor dut s'envoler à tire-d'aile pour se sauver. Zélina le poursuivit dans

l'escalier. La jeune princesse était pleine de santé ; ce n'était pas le cas du démon, dont les excès de bonne chère avaient entamé la forme physique. Il fut obligé de sortir par la fenêtre afin de reprendre son souffle et d'échapper à Zélina.

Ouf… Il pouvait maintenant battre tranquillement des ailes pour monter au sommet de la tour.

La chasse aux papillons avait amené Malik au pied de la muraille. Levant les yeux, il aperçut le sublime insecte. Jamais il n'en avait vu de semblable. Hélas, celui-ci volait hors de sa portée... Ah, si le jeune homme avait pu accéder à la terrasse du donjon ! Mais ce château était celui du pire ennemi de son père, et le jeune prince se trouvait déjà bien téméraire de s'en être tant approché. Malik regarda la vigne qui tapissait le donjon. Grimper là-haut ne lui sembla pas très difficile. Et puis, cette tour paraissait abandonnée depuis des siècles... Que risquait-il ? Il n'allait pas laisser passer une telle occasion d'enrichir sa collection ! Malik ne résista pas à la tentation : il escalada le mur.

En haut de la tour, Belzékor se posa sur la rose. Il prit soin de dissimuler l'éclat de la fleur avec ses ailes. Quand Zélina émergea de l'escalier, ses yeux brillèrent : sa proie était enfin à sa portée ! La jeune fille s'approcha lentement, les yeux fixés sur le papillon...

Les filets de Zélina et de Malik se croisèrent au-dessus de la fleur. Le maléfique papillon s'esquiva, et le filet de la princesse s'abattit sur la rose. Il en brisa net la tige. Sentant une présence, la jeune fille leva la tête et poussa un petit cri charmant. Elle venait de reconnaître le beau Malik !

– Vous ? Ici ? Mais…

Elle n'eut pas le temps de terminer sa phrase. Un tourbillon glacé comme la mort se forma autour d'elle et l'enveloppa tout entière. Elle sembla se pétrifier sous les yeux ébahis de Malik. Le souffle emporta le chapeau de paille; puis le tourbillon cessa. Prise de panique, Zélina se retourna sans dire un mot et se précipita dans l'escalier. La pauvre tremblait de tous ses membres. Mais que lui arrivait-il ?

La princesse dévala les marches, son filet à la main. Dans sa précipitation, elle ne se rendit pas compte que la rose d'or était restée prise dans les mailles.

Devant la porte, Zélina se heurta à Mandragone. La reine, elle, vit la fleur et comprit aussitôt ce qui s'était passé. Elle feignit avec talent la consternation :

– Mon enfant, vous avez une mine affreuse… Ambre va vous reconduire tout de suite dans votre chambre. Il faut que vous vous reposiez !

En haut du donjon, Malik resta un moment interdit devant le rosier. Puis son regard glissa vers la vasque, pour se poser finalement sur la plaque.

– Qu'est-ce que c'est que cette histoire de fou ? grogna-t-il, stupéfait, en découvrant l'inscription.

Il se gratta la tête :

– En tout cas, il vaut mieux que je ne m'attarde pas ici…

Le jeune homme enjamba les créneaux, se laissa glisser jusqu'au bas de la vigne vierge et se fondit dans les hautes herbes.

4
Un mal terrible et dévorant

Sous ses draps de satin rose, Zélina était pâle comme la mort. Assise à côté d'elle sur le lit à baldaquin, Ambre lui tenait la main. De chaudes larmes d'impuissance coulaient sur les joues de la demoiselle de compagnie. Depuis le début de l'après-midi, l'état de santé de la princesse ne cessait d'empirer.

Alerté par Mandragone, le roi Igor avait accouru au chevet de sa malheureuse enfant.

Le pauvre souverain était anéanti :

– Ma chérie, que t'arrive-t-il ? Où as-tu mal ?
T'es-tu blessée ?

Zélina fit non de la tête. Elle était seulement
lasse, très lasse… Elle sentait ses forces la quitter
peu à peu, et il lui semblait que son petit cœur
était en train de ralentir tout doucement pour
bientôt cesser de battre.

Le roi Igor convoqua au château les plus
grands médecins du royaume. Ceux-ci aus-
cultèrent la princesse, scrutèrent le fond de sa
gorge et celui de ses oreilles, testèrent ses réflexes
et le bon fonctionnement de tous ses sens. L'un
d'eux proposa de la saigner pour regarder la
couleur de son sang ; un autre soutint qu'il fallait
la purger en lui faisant boire une décoction
d'ellébore et d'armoise.

– C'est la rate ! affirma le premier des trois
médecins, sûr de lui.

– C'est le foie ! décréta le second.

– C'est l'œsophage! prétendit le troisième.

– Mais non, vous n'y entendez rien: c'est la glande pinéale qui est engorgée! s'écria le dernier des docteurs.

Malgré toute cette agitation, Zélina dépérissait d'heure en heure. La vie paraissait l'abandonner peu à peu. Mandragone se démenait au milieu des médecins, l'air catastrophé.

Mais au plus profond d'elle-même, elle jubilait: elle savait que Zélina finirait par succomber à son terrible mal, et que personne n'y pourrait rien!

Bouleversé, Igor sortit de la chambre, entraînant la reine et les docteurs à sa suite. Ils se retirèrent dans le boudoir de la princesse. Seule Ambre eut le droit de rester aux côtés de Zélina. L'infortuné roi de Noordévie interrogea les médecins. Leur pronostic était alarmant. Mais lorsque Igor leur demanda de quoi souffrait sa fille adorée, ils haussèrent les épaules piteusement.

– Je ne sais pas, dit le premier médecin.

– Je l'ignore, déclara le second.

– Je n'en ai pas la moindre idée, répondit le troisième.

– Moi non plus…, marmonna le dernier docteur en baissant humblement la tête.

Igor se prit le visage entre les mains. En quelques heures, il avait vieilli de vingt ans. Qu'avait-il fait pour être condamné à revivre aujourd'hui les heures atroces de l'agonie de la reine Mathilde, sa femme adorée et la mère de sa pauvre Zélina ?

Pour protéger sa princesse des terribles paroles des médecins et du désarroi de son père, Ambre se leva et referma la porte de la chambre. Puis elle revint auprès de Zélina et lui épongea le front.

– Il faut vous reposer maintenant, lui murmura-t-elle au creux de l'oreille.

Mais, au lieu de fermer les yeux, Zélina essaya

de se redresser. Dans un râle, la jeune malade demanda à sa suivante de décoller la petite mouche en taffetas qui ornait sa poitrine livide. Elle eut tout juste la force de souffler dessus. Sur le doigt d'Ambre, le délicat rond de tissu s'anima et se transforma en une véritable mouche pleine de vie.

– Va, Zig-Zag, gémit la princesse. Vole vite chercher ta maîtresse, ma marraine la fée Rosette. Le temps presse…

– Bzz, bzz…, répondit Zig-Zag en s'envolant.

5
Les faux espoirs de Rosette

*R*osette ne tarda pas à rejoindre sa filleule. Battant l'air avec ses ailes minuscules, elle toqua au carreau de la fenêtre de la chambre. Ambre lui ouvrit. La fée posa sa petite main sur le front de Zélina. Elle parut soucieuse.

– Oh là là !… Voilà qui me semble bien plus grave que ce que je pensais.

La fée se mit à voleter de long en large, cherchant une idée. Au pied du lit, elle aperçut le filet

de Zélina. Quelque chose brillait à l'intérieur.

– Qu'est-ce que c'est ? demanda-t-elle.

– Euh…, répondit Ambre, c'est que nous chassions les papillons toutes les deux quand la princesse s'est sentie mal.

– Mais ceci n'est pas un papillon…

Délicatement, Rosette dégagea la rose des mailles du filet. Son œil s'illumina. Ces beaux pétales dorés ne lui étaient pas inconnus.

– Moi qui pensais que ce rosier avait disparu à jamais, chuchota-t-elle, émerveillée.

La fée demanda à Ambre un grand verre d'eau fraîche et y déposa la fleur. Alors que la rose aspirait le liquide, Zélina reprit des couleurs.

– Que se passe-t-il, marraine ? À mesure que cette fleur revit dans son verre, je me sens mieux !

Rosette hésita un instant avant de dire :

– Oh… c'est un peu compliqué, chère enfant…

Et la fée raconta à sa filleule l'extraordinaire histoire du cadeau de mariage offert par la reine des fées à la reine Mathilde.

– Tout le monde croyait ce rosier définitivement perdu. Hélas, il a fallu que ce soit toi qui le retrouves en haut de son donjon ! Si ta mère avait su…

– Mais, marraine, pourquoi tu ne m'as jamais parlé de ce rosier ? s'étonna Zélina.

Les joues de Rosette rougirent :

– Euh… ben, parce que tu ne me l'as jamais demandé !

Zélina embrassa la minuscule créature :

— Ce n'est pas grave, tu m'as sauvé la vie, marraine chérie !

Les yeux de Rosette s'assombrirent. Elle caressa tendrement les cheveux de Zélina :

— Je ne t'ai pas sauvée, je n'ai fait que t'accorder un sursis. Les fleurs coupées ne survivent jamais longtemps, tu le sais. Seule la reine des fées serait en mesure de nous aider.

— Et où pouvons-nous la trouver ? chuchota la princesse, qu'une sourde angoisse étreignait soudain.

Le regard de Rosette se voila. Elle s'en voulut d'avoir donné de faux espoirs à sa filleule.

— Hélas, personne ne sait où elle habite…, dit la marraine de Zélina d'une voix blanche. En temps normal, c'est la reine des fées qui décide du moment et de l'endroit où elle désire nous rencontrer. Toutefois, chaque nuit de pleine lune, nous nous réunissons autour d'elle pour débattre des affaires de notre monde. Cette assemblée se tient

sur les nénuphars de la Cascade-aux-Lys-
d'Argent, en plein cœur de la forêt. La reine des
fées y arrive toujours la première, et je crois bien
qu'elle en repart la dernière.

La voix de Rosette s'étrangla dans sa gorge:

– Et notre prochaine assemblée doit avoir lieu
dans quinze jours…

Zélina plongea sa tête dans son oreiller et,
désespérée, elle se mit à sangloter:

– Quinze jours? Mais c'est beaucoup trop long! Demain, cette rose sera fanée...

Ambre prit alors la parole:

– Partez toutes les deux à la cascade avec la rose et le verre. C'est votre unique chance de trouver un indice sur l'endroit où se cache la reine des fées. Pendant ce temps, je resterai ici et j'interdirai l'accès à votre chambre, ma princesse. Je dirai que vous voulez vous reposer et que vous ne désirez voir personne...

C'était la seule solution. Zélina, encore faible, étreignit Ambre et

saisit la main de Rosette. Le cœur gros, marraine et filleule s'envolèrent vers la Cascade-aux-Lys-d'Argent. Une fois au bord de l'eau, elles aviseraient…

6
Les remords de Malik

La nouvelle de la maladie de Zélina se répandit comme une traînée de poudre dans les rues d'Obéron. Une chape de plomb s'abattit sur la ville. Dans le crépuscule finissant, les rares passants avaient la mine accablée; les yeux des lavandières étaient pleins de larmes. Tous s'attendaient d'un moment à l'autre à apprendre la disparition de la princesse; et pourtant, personne ne pouvait s'y résigner.

Attablé à l'auberge du Pichet d'Argent, le pauvre Malik se tenait la tête entre les mains. Il se sentait horriblement coupable… Par sa faute, la princesse Zélina avait brisé cette rose, et voilà qu'elle se mourait dans son château ! Et tout cela à cause d'un papillon… Il s'en voulait tellement ! Il avait été complètement fou d'escalader cette tour, c'est lui qui aurait dû être puni, et non pas l'innocente Zélina.

Malik réfléchit. Il se souvint dans les moindres détails de tout ce qui s'était passé en haut de ce funeste donjon. Le texte inscrit sur la vasque lui revint à la mémoire. Lui, le scientifique, refusait de croire à ces balivernes…

Et, pourtant, il avait bien senti lui aussi le souffle glacé qui avait enveloppé la princesse. Et cette étrange inscription ? Se pouvait-il qu'elle dise la vérité ? Tout cela le dépassait, mais une chose était sûre : il devait faire tout ce qui était en son pouvoir pour sauver la princesse et réparer sa dramatique bêtise.

L'atmosphère pesante de l'auberge décida
Malik à sortir. Il tira la porte et frissonna. Dehors,
le vent était vif. Le jeune homme remonta son col
et s'engagea dans la rue. Habituellement, celle-ci
grouillait à cette heure d'une foule joyeuse et
bruyante. Mais en cette triste journée, personne ne
s'attardait devant les riches vitrines des boutiques.
Les pas de Malik le menèrent sur la grand-place.
Son esprit tournait et retournait cette incroyable
histoire de rose dans tous les sens. Mais aucun
cours suivi à l'université n'avait appris à Malik à
ressusciter les fleurs.

Soudain, une délicate odeur sucrée chatouilla les narines du jeune homme. Malik tourna la tête. Elle provenait de l'échoppe d'un confiseur. L'homme, vêtu d'un grand tablier, trempait avec application de belles pommes rouges dans un chaudron de caramel brûlant. Puis il les posait, encore fumantes, sur une plaque de marbre immaculée. Se sentant observé, l'homme leva les yeux.

– Ah, désolé, Messire ! Si vous voulez m'acheter une de mes pommes d'amour, il vous faudra attendre qu'elles soient bien sèches…

Mais le regard de Malik ne parvenait pas à se détacher des pommes caramélisées. L'aimable commerçant éclata de rire :

– Vous savez, si vous revenez demain, elles auront refroidi, mais elles seront toujours aussi pimpantes !

Ces quelques mots insignifiants furent pour Malik une illumination. La voilà, la solution ! S'il ne pouvait pas redonner vie à la rose, il avait

trouvé le moyen de la sauver du flétrissement ! Pour cela, ce n'était pas de caramel qu'il avait besoin, mais de résine de pin, et en grande quantité… Il remercia chaleureusement le confiseur, qui le prit pour un fou.

Où trouver de la résine en pleine capitale ?

Pour mener à bien son idée, le jeune homme avait besoin d'un grand et beau sapin. Mais un tel arbre, Malik savait qu'il n'en trouverait pas à Obéron. Alors que la nuit était presque tombée, le prince quitta la ville d'un pas décidé. Il marcha un long moment sur la grand-route déserte, puis il coupa à travers champs. Enfin, il distingua au loin la masse sombre de la forêt de Tilde. En quelques minutes, il parvint à sa lisière.

Malik pénétra dans les sous-bois. Ici, il était trop près des hommes pour trouver ce qu'il cherchait. Il lui fallait s'enfoncer davantage dans la mystérieuse forêt. Il faisait de plus en plus noir. Le jeune homme avançait pourtant d'un bon pas. Bientôt, il n'y eut plus de sentier. Les branches basses lui fouettaient le visage; la boue le recouvrit des pieds à la tête. Mais il continuait à aller de l'avant. Il trouverait son sapin même s'il devait passer toute la nuit à explorer cet endroit inquiétant…

Hélas, rapidement, la forêt engloutit le jeune homme. Il perdit tout repère au milieu des fourrés. Il ne voyait pas à deux pas et ne distinguait même plus le ciel au-dessus de sa tête. À ce moment, Malik fut bien obligé de se rendre à l'évidence: il était bel et bien perdu!

7
Au matin, tout sera fini...

*A*u terme d'un long vol, Zélina et Rosette se posèrent en douceur au bord de la Cascade-aux-Lys-d'Argent. La jeune fille tenait toujours fermement à la main le verre d'eau, dans lequel reposait la rose. Depuis leur départ, la fleur n'avait rien perdu de sa fraîcheur. Au contraire, elle semblait retrouver peu à peu son éclat. Mais la fée et sa filleule se doutaient bien que ce répit serait de courte durée.

Rosette s'éleva au-dessus des nénuphars de la
cascade, alors que Zélina prenait pied sur une
grosse pierre moussue. Les joues de la princesse
avaient repris quelques timides couleurs. Toutes
les deux appelèrent en chœur la reine des
fées. Une fois, dix fois, vingt fois, cent
fois… L'écho de leurs deux voix
résonna de longues minutes
contre les sombres
parois de la cascade.

Mais personne
n'y répondit.

La gorge serrée, à bout de forces, Zélina se laissa glisser le long de son rocher. Elle posa le verre et la rose à côté d'elle. La jolie princesse était désespérée. Elle n'aimait pas pleurer, mais ne put retenir ses larmes. Les yeux humides, elle soupira :

– Nous n'y arriverons jamais, et demain je serai morte...

La petite fée essaya de lui remonter le moral :

– La reine des fées ne devrait pas être loin. Nous allons la trouver, ma chérie. Appelons-la, elle finira bien par nous répondre !

Elle prit sa filleule par la main :

– Allez, du courage... Ce n'est pas le moment de se laisser abattre !

Mais le cœur n'y était plus. Si elle avait été près de la cascade, la reine des fées se serait déjà manifestée... Que faire ? Rosette se sentait totalement impuissante.

Zélina ne disait plus rien. Sa farouche volonté de se battre semblait l'avoir abandonnée. À quoi bon ? Elle savait maintenant qu'elle mourrait avec cette

rose, qu'elle se fanerait comme elle au petit matin. Rosette, Ambre, son père, les médecins… ils avaient tous fait leur possible. Pour qu'elle survive, il aurait fallu un miracle, et celui-ci ne s'était pas produit…

Tout à coup, les buissons s'agitèrent. Zélina se redressa. Quelque chose essayait péniblement de se frayer un chemin à travers les fourrés. Un loup ? Un ours ? Ah, si ce fauve pouvait ne faire qu'une bouchée d'elle et abréger ainsi ses souffrances ! Mais alors qu'elle s'attendait à voir un sauvage animal sortir des sous-bois, un individu hirsute, couvert de plaies et de boue, jaillit sur la berge. Un rayon de lune éclaira son visage : Zélina n'en crut pas ses yeux.

– Malik ! cria-t-elle.

– Princesse…

Zélina sauta sur ses jambes et courut vers le jeune homme. Malik avait su la retrouver au plus profond de la forêt ! Il saurait la sauver…

La princesse tendit ses bras vers les siens. Mais

alors que leurs mains allaient se toucher, l'une des
chaussures de Zélina glissa sur la mousse humide
qui recouvrait la pierre. L'espace d'une seconde,
elle regarda Malik incrédule, comme suspendue
en l'air. Puis elle tomba et disparut dans le rideau
de la cascade !

– Zélina ! hurla Malik.

Sans réfléchir, le jeune prince plongea à son
tour dans l'eau glacée, suivi par Rosette.

8
La reine des fées

*Z*élina cligna des paupières. Une lumière intense l'éblouit tout d'abord, une lumière blanche et bienfaisante. La princesse mit sa main devant ses yeux. Elle reposait sur une confortable couche de mousse odorante. Elle se souvenait d'être tombée dans l'eau, mais, bizarrement, sa robe était toute sèche. Elle aurait même juré qu'elle avait été fraîchement repassée…

La lumière se dissipa un peu. Zélina distingua

tout d'abord une silhouette rayonnante. Puis elle aperçut une très belle femme penchée sur elle. Son visage était illuminé par une magnifique chevelure d'or. L'apparition posa une main apaisante sur le bras de la jeune fille.

– N'aie pas peur, petite princesse, tu es simplement derrière la cascade. Je t'attendais.

Zélina murmura :

– Vous êtes…

La jeune femme sourit :

– Oui, mon enfant, je suis celle que tu cherches… Je suis la reine des fées !

– Madame…

La reine fit signe à Zélina de se taire :

– Chut… Tu dois garder toutes tes forces. Je sais pourquoi tu es venue à moi.

Zélina sentit une douce chaleur irradier de la main de la reine des fées et envahir son corps. La maîtresse des lieux s'assombrit soudain :

– Si j'avais su quelle catastrophe allait déclencher ce rosier, jamais je ne l'aurais offert à ta

mère. Il devait lui porter bonheur, à elle et aux siens. Quel désastre! Je vais faire ce que je peux pour t'aider et réparer mes bêtises…

La reine des fées serra la main de Zélina dans la sienne. Celle-ci sentit quelque chose de rond et de dur contre sa paume.

– Quand tu sortiras de cette grotte, tout à l'heure, tu prendras à ton tour la main de ton amoureux et tu y glisseras cette pomme de pin. Puis tu lui diras qu'elle lui donnera ce qu'il est venu chercher…

Zélina regarda la pomme de pin au creux de sa

main sans comprendre. De qui voulait-elle parler?

– Mais, madame… Je n'ai pas d'amoureux…

– Et ce jeune homme prêt à risquer sa vie pour te sauver, qui est-il?

Zélina rougit en pensant à Malik.

La reine sourit. Elle baisa le front de la princesse et leva le bras. Une poudre scintillante s'échappa de ses doigts et traça un chemin doré sur le sol.

– Suis la lumière. Elle te guidera jusqu'à la sortie de cette grotte. Allez, va vite le retrouver!

La jeune femme fit un geste d'adieu et elle disparut dans un nuage argenté. Zélina se leva et remonta l'étrange sentier de lumière. Bientôt, elle sentit l'air frais du dehors lui caresser le visage.

Elle se retourna: le chemin lumineux s'était volatilisé. Zélina se dirigea vers le petit lac au pieds de la cascade. Elle était déconcertée : «Mon amoureux? Et puis quoi encore… Qu'est-ce qu'elle en sait?»

9
Une pomme de pin
si modeste

– Zélina !

Sous le coup de la surprise, Rosette laissa retomber sur la tête de Malik le nénuphar qu'elle tenait au bout de sa baguette.

– Eh !

– Oh ! Excusez-moi, Malik…

Lorsque Zélina apparut, le jeune homme pataugeait dans le petit lac de la cascade. Il avait de l'eau jusqu'à la taille, et Rosette l'aidait à

chercher la princesse en soulevant les larges feuilles vertes qui flottaient au pied de la chute.

Zélina se hissa sur un rocher et demanda au jeune homme :

— Mais que faites-vous ici ?

— Euh… j'ai appris ce qui vous arrivait, et je me sens tellement coupable. Je… je… je voulais simplement vous aider !

Les joues de Zélina rosirent. Son cœur se mit à battre à tout rompre… Ainsi, il était venu pour elle, comme l'avait dit la reine des fées ! Malik donna la main à Zélina. La princesse sauta sur la berge, ce qui l'amena involontairement tout contre le jeune homme. Elle rougit encore plus.

— Oh, pardon !

Heureusement, Rosette vola à son secours. Sans s'apercevoir de son trouble, la petite fée lui demanda ce qui s'était passé. Zélina ouvrit la main et raconta qu'elle avait rencontré la reine des fées et que celle-ci lui avait donné cette pomme de pin. Elle ajouta que, grâce à elle, Malik saurait

résoudre son problème.

Malik saisit la petite pomme ronde et la regarda, dépité.

– Si la reine des fées avait vraiment voulu vous aider, elle aurait mieux fait de vous dire où se trouve le sapin qui a porté ce misérable fruit ! bougonna-t-il.

Alors que Rosette le regardait, consternée, il ajouta piteusement :

– Ben oui… C'est justement ce sapin que je suis venu chercher dans la forêt…

Zélina plongea son beau regard émeraude dans celui du jeune homme et suggéra :

– Et si vous plantiez la pomme ?

Malik haussa les épaules.

– Pff ! Elle mettrait cinquante ans à pousser…, grommela-t-il en jetant le cadeau de la reine des fées par-dessus son épaule.

À ce moment-là, un grondement
sourd monta des entrailles de la Terre. La
forêt se mit à trembler autour d'eux.
Affolée, Zélina se serra contre Malik.
Quelque chose fusa derrière eux. Les
jeunes gens se retournèrent, et ils
virent un gigantesque sapin jaillir
du sol là où était tombée la petite
pomme de pin. Bouche bée, ils
regardèrent tous les trois la cime
du magnifique arbre monter
vers le ciel.

– Eh bien, jeune homme, s'exclama Rosette, vous aviez besoin d'un sapin? Le voilà! Le plus beau et le plus grand de toute cette forêt!

Malik ne fut pas long à reprendre ses esprits:

– Où est la rose? Nous n'avons pas une minute à perdre.

Zélina courut chercher la fleur et la donna au jeune homme. Pendant ce temps, celui-ci fendit l'écorce du sapin avec son couteau de poche. En quelques minutes, une grande mare de résine étincelante se forma au pied de l'arbre sous ses yeux émerveillés.

– Il y a vraiment quelque chose de magique dans cette forêt! souffla-t-il.

Malik saisit la rose et la trempa doucement dans le liquide épais. Il prit bien soin de ne froisser ni d'arracher aucun de ses pétales. Puis, lorsque la fleur fut bien enrobée de résine, il la tendit à Zélina:

– Voilà... Une fois sèche, elle se conservera éternellement!

10
Les mystères de Malik

La nuit commençait à se dissiper au-dessus des arbres. Une douce brise tiède se leva, accompagnant le réveil de la forêt. Un lapin encore engourdi par le sommeil se figea à l'entrée de son terrier avant de disparaître dans les fourrés. Un couple de mésanges se lança dans une timide série de vocalises en secouant la rosée qui recouvrait ses plumes. Une grenouille coassa, une autre lui répondit. Frileusement, les premières violettes

entrouvrirent leurs pétales. Peu à peu, la vie reprenait son cours au royaume de Noordévie.

La résine qui enrobait la rose était maintenant sèche. Il était temps de songer à rentrer à Obéron. Zélina, Malik et Rosette se retournèrent une dernière fois pour admirer le magnifique sapin de la reine des fées et ils s'enfoncèrent tous les trois dans les bois.

Guidée par Rosette, la petite troupe n'eut aucun mal à retrouver son chemin entre les arbres. Zélina regardait Malik. Ou plutôt, son regard ne parvenait pas à se détacher de lui. Après les terribles épreuves qu'elle venait de vivre, la princesse se sentait étrangement bien. Comme ils marchaient côte à côte, elle eut envie de glisser sa main dans celle du beau jeune homme; mais elle n'osa pas. Troublée par cette sensation inconnue, elle ferma les yeux. Elle était légère, légère…

Lorsqu'ils atteignirent la lisière de la forêt, le visage de Malik s'assombrit:

– Hélas, Zélina, je crains que nos chemins se

séparent ici. Vous rentrez au château, et moi à mon auberge.

Zélina se figea :

– Mais, vous ne nous raccompagnez pas, Malik ?

Le jeune homme, gêné, regarda ailleurs. Comment aurait-il osé révéler à Zélina qu'il était le fils du pire ennemi de son père ? Non, il valait mieux pour eux deux qu'il s'éclipse en gardant son secret, même si cela le rendait très malheureux.

– Non… vraiment… je préfère ne pas le faire.

Le vert intense des yeux de Zélina se voila.

– Vous avez sans doute raison, soupira-t-elle.

Elle était très déçue, mais elle s'efforça bravement de ne pas le montrer. Malik aussi avait le droit d'avoir ses secrets.

Ils se regardèrent tous les deux, un peu gênés. Ne sachant trop que dire, Malik demanda à Zélina de prendre bien soin de sa rose. Rosette s'écarta discrètement afin d'aller regarder la lune se coucher au-dessus du château. Zélina se rapprocha de Malik et serra tendrement son bras :

— Malik ?

— Oui ?

Elle respira un grand coup :

— Je voulais vous remercier d'être…

La princesse chercha ses mots :

— D'être mon ange gardien !

Là, Zélina n'y tint plus. Elle se hissa sur la pointe des pieds, approcha ses lèvres de la joue de Malik et y déposa un timide baiser. Effrayée par son audace, la jeune fille devint écarlate, et elle recula d'un pas. Malik bafouilla :

— C'est cela ! Votre ange gardien… ma princesse…

Puis il s'engagea d'un pas décidé sur le chemin de la ville et disparut sans se retourner.

11
Un charmant ange gardien

De retour au château, Zélina se glissa rapidement dans ses draps soyeux, non sans avoir déposé la rose dans le vase de sa table de nuit. Elle ferma les yeux en entendant la porte de sa chambre s'entrouvrir. Ambre passa la tête pour vérifier si sa maîtresse était bien rentrée et laissa entrer Mandragone.

La reine affichait une mine affligée. Mais, au fond d'elle-même, elle rayonnait de bonheur.

Elle touchait enfin au but, après tant d'années d'efforts et d'intrigues! Zélina morte, elle et son petit Marcel adoré pourraient se préparer à régner sans partage sur la Noordévie…

Le pauvre roi Igor, lui, restait prostré dans le boudoir, trop bouleversé pour entrer dans la chambre et affronter la terrible nouvelle.

Dans son lit, Zélina était complètement immobile.

Mandragone saisit le poignet de la princesse et glissa d'une voix lugubre à l'oreille de la demoiselle de compagnie :

– Ma petite Ambre, préparez-vous au pire… Je crains bien qu'il soit trop tard pour sauver notre chère princesse.

Mais, alors qu'elle s'apprêtait à prendre le pouls de Zélina pour s'assurer qu'elle était bien morte, celle-ci ouvrit grand les yeux et lança gaiement :

– Bonjour, belle-maman !

Mandragone eut un mouvement de recul, comme si elle avait aperçu un fantôme. Sauf que

Zélina était bien vivante! Ambre se précipita dans les bras de sa princesse chérie. Elle lui chuchota à l'oreille.

— Alors, vous l'avez trouvée?

— Oui, je te raconterai… Il s'est passé des choses vraiment incroyables cette nuit dans la forêt. Mais chut !…

Zélina éclata de rire. Elle était toute pimpante. Attiré par ces joyeux éclats de voix, Igor poussa doucement la porte de la chambre de sa fille. Quand il la vit guérie, il se jeta à son tour dans ses bras.

– Ma chérie… Mais c'est merveilleux!

Tapie dans son coin, Mandragone était pétrifiée: par quel maléfice un plan si génial avait-il pu échouer? Cela dépassait son entendement… C'était certainement de la faute de Belzékor! Oui, cet incapable allait lui payer cela! Elle articula avec difficulté:

– Mais, mais… que vous est-il arrivé?

Zélina serra Ambre et son père un peu plus fort dans ses bras. Elle était si contente de les retrouver tous les deux qu'elle ne remarqua pas le trouble de sa belle-mère. Quand son père lui demanda quel était le miracle qui l'avait arrachée à la mort, la princesse réfléchit un instant.

– Disons simplement que cette nuit, un ange s'est penché sur moi, et qu'il a trouvé le moyen de me faire refleurir.

Zélina prit la rose d'or sur sa table de nuit et la pressa rêveusement contre son cœur.

– C'est bien cela: un charmant ange gardien!

Dans la même collection

Neuvième édition

Couleurs : Marmelade. Illustrations 3D : Mathieu Roussel.

© Bayard Éditions, 2009
© Bayard Éditions Jeunesse, 2002
18, rue Barbès, 92128 Montrouge Cedex
Princesse Zélina est une marque déposée par Bayard.

Dépôt légal : octobre 2002
ISBN : 978-2-7470-0078-9
Loi 49 956 du 16 juillet 1949 sur les publications destinées à la jeunesse
Reproduction, même partielle, interdite
Imprimé par Pollina, France - n° L50970